오늘부터 시작하는 스피치 트레이닝

스피치 트레이닝의 문턱을 낮추다

정재운 지음

오늘부터 시작하는 스피치 트레이닝 스피치 트레이닝의 문턱을 낮추다

저　자 | 정재운
발　행 | 2023년 01월 17일
펴낸이 | 한건희
펴낸곳 | 주식회사 부크크
출판사등록 | 2014.07.15.(제2014-16호)
주　소 | 서울특별시 금천구 가산디지털1로 119 SK트윈타워 A동 305호
전　화 | 1670-8316
이메일 | info@bookk.co.kr

ISBN | 979-11-410-1190-10

www.bookk.co.kr

오늘부터 시작하는 스피치 트레이닝

스피치 트레이닝의 문턱을 낮추다

정재운 지음

BOOKK

서문

저는 어려서부터 말을 잘하는 사람이 되고 싶었습니다. 어린 시절 말을 잘 못했기 때문입니다. 제가 성인이 된 후로 저를 만난 분들은 모두 다 이 이야기를 믿지 않으시는데, 제가 어린 시절 말을 잘 못했다는 것은 명백한 사실입니다. 얼마나 말을 잘 못했었는지 한 번 들어보실래요?

초등학생 시절, 저는 검도 선수라는 꿈을 가지고 있었습니다. 그래서 주말마다 종종 검도대회에 나가곤 했어요. 문제는 그 당시 초등학교가 주6일제였다는 겁니다. 그래서 토요일에 대회에 나가려면 학교에서 조퇴를 해야만 했어요. 그런데 저는 선생님께 조퇴해야 된다고 말하러 가기만 하면 너무 떨리고, 어떻게 말을 해야 할지 모르겠어서 매번 선생님 앞에서 쭈뼛거리기만 하다가 눈물을 터트리고 말았습니다. "선생님! 저 오늘 검도대회가 있어서 조퇴해야 합니다!"라고만 말하면 되는 거였는데, 그게 안 됐던 거죠.

그러면 선생님은 놀라서 저희 어머니께 전화를 하셨고, 어머니께 자초지종을 들으신 후에 저를 얼른 집에 보내주셨어요. 매번 그랬습니다. 그러다보니 어머니는 제가 평생 말도 잘 못하고 살까봐 엄청나게 걱정을 하셨다고 해요.

그런데 지금은 제가 누구를 만나도 말을 참 잘한다는 이야기를 듣고 있습니다. 도대체 그동안 어떤 일들이 있었던 걸까요? 이 책을 통해 제게 도움을 주었던 다양한 스피치 트레이닝 중에서 당장 오늘부터 일상생활 속에서 시작할 수 있는 트레이닝 방법들을 소개해드리도록 하겠습니다.

여러분도 이미 잘 알고 계시겠지만 오늘날은 스피치 능력이 정말 중요한 시대입니다. 하지만 많은 분들이 이것을 알지만 스피치를 어려워하고, 마땅한 해결방안을 찾기 어려워하는 것이 현실입니다. 그렇다고 당장 스피치 학원을 다니면서 배우기에는 시간적으로도 물질적으로도 부담이 되는 것도 현실입니다.

한 연구 결과에 의하면, 사람마다 다양한 이유(개인의 독특한 배경과 독특한 사건, 발표경험 자체의 부족 등)에 의해 스피치에 대한 두려움을 가지게 되고, 그것으로 인해 긴장감·스트레스·심리적 위축을 경험한다고 합니다.[1] 여러분도

---

1) 우지은, 주수원, 강수민, 유영만, *성인학습자들의 스피치교육 경험 분석: 전환학습 이론을 중심으로*, 학습자중심교과교육연구 19(15), 2019, 968.

혹시 이런 상황에 놓여 계십니까? 이 책은 이런 상황에 놓인 분들을 위한 책입니다. 모든 부담을 내려놓고 오늘부터 가벼운 마음으로 스피치 트레이닝을 시작할 수 있도록 준비하였습니다. 책의 부제처럼 스피치 트레이닝의 문턱을 낮추고자 노력하였습니다.

한 가지 미리 말씀드리자면, 이 책은 발음과 발성 훈련에 대한 내용을 담고 있지 않습니다. 사실상 이런 부분은 대면교육을 통해서만 제대로 가능하기 때문에, 이 책에 발성에 대한 내용을 담는 것은 도리어 발음과 발성에 대한 오해를 불러일으킬 수도 있겠다는 생각이 들어 과감히 제외시키게 되었습니다. 물론 기본적으로 이 책의 트레이닝만 잘 따라오셔도 기본적으로는 발음과 발성이 향상되는 것을 경험하실 수 있습니다.

아무쪼록 이 책은 스피치의 본질에 대해 함께 고민해보고, 오늘부터 당장 집에서 트레이닝하실 수 있도록 방법을 제안하는 것에 초점을 맞추었습니다. 일상적인 커뮤니케이션 스피치, 면접 스피치, 프레젠테이션 스피치, 무대 스피치 등 다양한 스피치에서 동일하게 적용할 수 있는 내용들을 담은 트레이닝을 위주로 구성하고자 노력하였습니다.

먼저는 스피치라는 것이 무엇인지에 대해 재정의하고, '나라는 사람'에 대해 이해하는 작업으로 시작하여 구체적으로 어떻게 훈련해야 하는지에 대한 내용으로 이어진다는 점을 미리 기억하고 계시면 도움이 될 것 같습니다. 이 책의 목표는 '가장 나다운 스피치'를 완성해가는 것입니다.

저는 어느덧 스피치와 관련된 일들에 종사한지 18년차가 되었습니다. 어린 시절부터 지금까지 공연, 행사 사회, 강사 활동, 강연, 설교 등 다양한 모습으로 다양한 위치에서 스피치 경험을 쌓았습니다. 제 경험이 부디 독자 여러분들에게 도움이 되기를 바라며, 여러분을 진심으로 응원하도록 하겠습니다. 감사합니다.

2023년의 어느 날
정재운

차례

1장

재정의의 시간

도대체 말을 잘한다는 것이 무엇일까요? … 대부분의 경우 '본질적인 답'보다는 매우 표면적으로 드러나는 요소들에 대한 답을 작성하신다는 사실을 말씀드리고 싶습니다. 이곳에서 우리는 조금 더 본질적인 답을 찾아보려 합니다.

01
말을 잘한다는 것은 무엇인가?

첫 시작으로는 2018년에 발표된 한 논문 내용을 여러분과 나누고 싶습니다.

이제는 다수의 일반인들 역시 사회생활에 스피치가 필요함을 느끼고 스피치실력을 향상하려는 움직임이 확대되었다. … 실제로 직장인들이 성공을 위해 갖추어야 할 필수능력에 대해 대인관계능력과 스피치 능력을 가장 중요한 능력으로 꼽았다. 2016년 포털사이트인 잡코리아는 남녀직장인 1,005명을 대상으로 조사하였는데, 대인관계능력이 46.3% 그리고 스피치 능력이 19.4%를 차지했다. 특히 조사인원 중 공기업 직원들은 스피치능력을 26.6%로 선택해 가장 필요한 능력이라고 응답하였다. 그러나 조사인원 10명 중 9명의 직장인들은 스피치가 두렵다고 응답하였다(이데

일리, 2016.05.13.). 또한 2014년 전국경제인연합회에서 20~30대 대졸직장인 800명을 설문조사한 결과 실제 업무에 도움이 되는 스펙으로 컴퓨터 능력 다음으로 스피치 능력을 꼽았다. 무려 800명 중 48.9%가 스피치능력이 중요하다고 여겼다(뉴시스, 2014.05.20.).[2]

오늘날 대부분의 사람들은 이미 잘 알고 있습니다. 이 시대를 잘 살아내기 위해서는 스피치 능력이 정말 중요하고, 필요하다는 사실을 말이죠. 독자 여러분들도 스피치 능력의 필요성을 깨닫고 다양한 책을 둘러보시던 중 이 책을 선택하셨으리라 생각합니다.

그럼 먼저 생각해볼까요? 도대체 말을 잘한다는 것이 무엇일까요? 바로 다음 페이지로 넘어가서 내용을 확인하지 마시고, 아래에 여러분의 생각을 꼭 적어보시기 바랍니다.

말을 잘한다는 것은,

_____

_____

_____

2) 정은이, 남인용, *국내 스피치커뮤니케이션 관련 연구 동향 분석*, 한국소통학보 제17권 3호, 2018, 34.

잘 적어보셨나요? 어떤 답을 적으셨더라도 저는 그것이 틀렸으리라 생각하지 않습니다. 기본적으로 말을 잘한다고 느껴지는 사람들의 특징을 잘 정리해서 쓰셨을 것이라 생각하기 때문입니다. 여기서 멈추지 않고 우리는 추가적으로 말을 잘하는 것의 본질에 대해 함께 고민해보려 합니다.

우선 말이라는 것은 도대체 무엇일까요?

스피치 컨설턴트 김대성 원장님은 책 『말 좀 잘하고 싶어』에서 이런 말을 합니다. "말은 의사를 전달하기 위한 수단이자 도구이다. 여기에서 핵심은 '수단이자 도구'라는 것이다. 우리가 전달하고자 하는 것은 '말'이 아니라 '생각'이다. 이것을 상대방에게 전달하기 위해서 말이라는 전달 수단이 필요하다. 극히 단순화시킨다면 말은 껍데기이고 생각은 알맹이라고 할 수 있다."[3]

생각정리연구소의 대표이신 복주환 작가님은 책 『말 좀 잘하고 싶어』의 첫 시작에서 "두서없이 생각하면 두서없이 말하게 되고, 논리적으로 생각하면 논리적으로 말하게 된다."고 말하고 있습니다.[4]

---

3) 보다 자세한 내용은 김대성, 『말 좀 잘하고 싶어』, 더블엔, 2021.을 참고해주시기 바랍니다.
4) 복주환, 『생각정리스피치』, 천그루숲, 2018, 4-5.

그렇습니다. 말이라는 것은 여러분의 생각을 전달하는 도구이고, 여러분이 가지고 있는 생각을 있는 그대로 담아내는 그릇입니다. 결국 스피치에 있어서 본질적으로 중요한 것은 무엇입니까? '생각'입니다.

하지만 스피치 능력을 향상시키고자 하시는 분들 중의 대다수는 생각을 잘하기 위해 고민하는 것이 아니라, 단순히 말을 잘하기 위해 고민합니다. "어떻게 하면 말을 더 잘할 수 있을까?"라는 표면적인 질문을 붙드는 것이죠. 하지만 이런 고민은 본질적인 개선과 스피치 능력의 향상을 일으킬 수 없습니다. 고민의 방향을 반드시 올바른 방향으로 틀어주어야 합니다.

정리하자면, 말을 잘한다는 것은 본질적으로 '생각을 잘한다는 것'의 다른 말입니다. 그렇기 때문에 우리가 말을 잘하고자 한다면 먼저는 "내가 지금 무슨 생각을 가지고 있지?"라는 질문을 스스로에게 밀도 있게 던져보아야 하고, "어떻게 표현하면 내가 지금 가지고 있는 이 생각이 잘 전달될까?"라는 고민에 많은 에너지를 쏟아야 합니다.

그러므로 오늘부터 여러분은 말투, 목소리와 같은 외적인 것보다는 생각이라는 것에 보다 집중해주시기 바랍니다.

02
훌륭한 스피치는 무엇으로 결정되는가?

스피치에서 우리가 알아두어야 할 것은 사람을 움직이는 것은 유창한 말이 아니라, 솔직하고 진실한 말이라는 것이다. 결국 멋진 스피치를 하기 위해서는 스피치 능력도 중요하지만 스피커 자체가 인품을 갖추어야 된다는 말이다.[5]

훌륭한 스피치가 무엇으로 결정되는지에 대해 이보다 더 잘 정리된 답변은 없는 것 같습니다. 훌륭한 스피치는 본질적으로 발성이나 목소리, 억양, 기술과 같은 것에 의해 결정되지 않습니다. 훌륭한 스피치의 본질은 화자의 인품에 있습니다.

앞서 언급한 바 있는 김대성 원장님도 상대방의 말을 듣

---

5) 박영찬, *1주제: 일반인 대상 스피치 교육의 현황*, 한국소통학회 학술대회, 2004, 7.

게 만드는 것은 방법과 기술이 아닌 '인격'에 있다고 말했습니다. 말을 한다는 것은 인격 대 인격의 교류 상황이라는 것을 늘 기억하는 것, 이것이 김대성 원장님의 스피치 철학이라고 합니다.[6] 너무나도 동의되고 공감되는 내용입니다. 여러분도 훌륭한 스피치를 하고 싶으시다면, 다른 무엇보다도 먼저 훌륭한 인품을 갖기 위해 온갖 방법을 동원하여 노력하시길 바랍니다. 저 역시도 이것을 평생의 숙제로 생각하고 계속해서 노력하고 있습니다.

그래서 이 부분을 넘어가기 전에, 훌륭한 인품이라는 것이 무엇일까에 대해 함께 고민해보고자 합니다. 미국과 중국에서 활약하고 있는 홍보 전문가이자 인간관계 교육가인 리웨이원(Li Wei Wen)이라는 분이 있습니다. 이분의 책 중에 『인생에 가장 중요한 7인을 만나라』(비지니스북스)라는 책이 있는데요. 이 책은 독자들에게 '일곱 가지 덕목'을 제시하고 있습니다. 이 덕목들을 갖춘 사람이야말로 훌륭한 인품을 갖추었다고 이야기할 수 있을 것 같습니다.[7]

(1) 잘못을 인정하는 인품
(2) 온화한 인품

---

6) 김대성, 『말 좀 잘하고 싶어』, 더블엔, 2021. 머리말 참고.
7) 보다 자세한 내용은 리웨이원, 『인생에 가장 중요한 7인을 만나라』, 허유영, 비지니스북스, 2015.을 참고해주시기 바랍니다.

(3) 너그러운 인품

(4) 소통하는 인품

(5) 내려놓을 줄 아는 인품

(6) 감사할 줄 아는 인품

(7) 살아 있음의 소중함을 아는 인품

여러분은 이 일곱 가지 덕목 중 몇 가지를 갖추고 계신가요? 정말 말을 잘하는 사람이 되고 싶다면, 우리는 다른 무엇보다도 이 일곱 가지 덕목을 갖추기 위해 노력해야만 할 겁니다. 그런 의미에서 다음 페이지로 넘어가기 전에, 자기 자신이 어떤 상태에 있는지 위에서 언급한 일곱 가지 덕목에 비추어 점검해보면 어떨까요?

내가 갖추고 있는 덕목은?

_____

_____

_____

내가 갖추어야 할 덕목은?

_____

_____

_____

03
발음과 발성, 정말 중요한가?

흔히 스피치 트레이닝에 대해 생각할 때, 많은 분들이 발음과 발성에 대해서 먼저 생각하십니다. 그런데 질문이 필요할 것 같습니다. 좋은 발음과 발성을 갖추는 것이 정말 그렇게까지 중요할까요? 중요하지 않다고 말한다면 그건 거짓말일 겁니다. 물론 중요합니다. 하지만 "그게 전부냐" 혹은 "본질적으로 제일 중요하냐"라고 묻는다면, 저는 아니라고 자신 있게 답하겠습니다.

여러분, 지금 당장 주변 지인 중에서 말을 잘하는 사람들을 떠올려보시겠습니까? 그분들이 모두 다 훌륭한 발음과 훌륭한 발성을 가지고 계신가요? 그분들이 아나운서 혹은 성우와 같은 발음과 발성으로 평소에 이야기를 하냐는 겁니다. 아마도 아닐 거예요. 결국 훌륭한 발음과 발성은 좋은 스피치의 본질이 아니라는 겁니다. 이미 앞에서 말씀드린 바 있습니다만, 여러분이 스피치를 잘하기 위해 본질적으로 꼭 갖추어야 할 것은 '생각을 잘하는 것'과 '좋은 인품을 갖는 것'이지, 좋은 발음과 발성이 아닙니다.

그렇다면 좋은 발음과 발성은 실제 스피치에 있어서 어떤 역할을 하는 걸까요? 좋은 발음과 발성은 여러분의 신뢰도와 호감도를 높이는 데 중요한 요인으로서 작용합니다. 결론적으로 좋은 발음과 발성은 부가적인 요소로서 중요하긴 하지만, 본질은 아니라는 겁니다.

저는 그래서 발음과 발성이라는 부가적인 요소에 여러분이 처음부터 너무 많은 투자를 하지 않으셨으면 좋겠습니다. 만약 여러분이 처음부터 좋은 발음과 발성에 목숨을 걸기 시작한다면, 즉 부가적인 요소에 목숨을 걸기 시작한다면, 여러분은 스피치 트레이닝에 대한 흥미를 빨리 잃어버리실 수도 있기 때문입니다. 왜냐하면 좋은 발음과 발성은 하루아침에 얻을 수 있는 것이 아니니까요.

그래서 저는 이렇게 말씀드리고 싶습니다. 우선 여러분이 스피치 트레이닝을 하다보면, 이 부가적인 요소(발음과 발성)는 자연스럽게 향상되기 시작할 겁니다. 스피치 트레이닝이라는 것이 그럴 수밖에 없습니다. 그렇게 자연스럽게 향상되기 시작하면 "이왕 향상되기 시작한 거, 더 많이 늘면 좋겠는데?"라는 욕심이 생기실 수 있어요. 그때부터 본격적으로 좋은 발음과 발성에 대해 공부하기 시작하셔도 늦지 않다는 것을 말씀드리고 싶습니다. 이런 상태에서 시작해야 끝까지 흥미를 잃지 않고 하실 수 있을 테니까요.

그러므로 여러분, 좋은 발음과 발성에 대한 생각은 잠시 내려놓고 편안한 마음으로 스피치 트레이닝을 따라와 주시기 바랍니다.

04
스피치에 대한 올바른 목표는 무엇인가?

본격적인 스피치 트레이닝에 들어가기에 앞서, 이 부분에 대한 재정의가 반드시 필요할 것 같습니다. '올바른 목표'에 대한 부분입니다.

지금까지 제가 만나 본 다양한 분들(스피치 향상을 원하는) 중 대다수는 올바른 목표를 세우는데 충분히 고민해보며 시간을 할애하지 않았습니다. 왜 그럴까에 대해 생각해보게 되었는데요. 아마도 어떤 목표를 세우는 것이 좋은 것인지, 어떤 목표를 세워야 실제적으로 큰 도움이 되는지 잘몰라서인 것 같습니다. 목표는 꼭 필요합니다. 그리고 목표를 세우는 과정에서 가장 중요한 것은 목표를 '알맞게' 설정하는 겁니다.

예를 들어 평생토록 운동을 한 번도 해본 적이 없는 분이 있다고 칩시다. 그런데 이분이 한 달 만에 바디프로필을 찍을 수 있을 정도의 몸을 만들겠다는 목표를 세운 겁니다. 목표를 '알맞게' 설정한 걸까요? 당연히 아니겠죠. 사람마다 지금까지 살아온 인생이 다릅니다. 그런데 그 어떤 것도 고려하지 않고 무작정 목표를 세우게 된다면, 그것은 허황된 목표로 끝나버리고 말 겁니다. 그리고 이처럼 알맞지 않은 목표를 세우고 달려든다면 쉽게 지치고, 낙심하게 되고, 포기하게 됩니다. 앞서 언급한 예시에서 알맞은 목표를 세워볼까요? 예를 들어 '주 3회, 하루에 10분씩이라도 꼬박꼬박 운동하기', '차량 이용을 줄이고 하루에 5,000보라도 꼭 걷기' 정도가 될 겁니다. 단기적으로는 이런 목표를 세워야 목표를 향해 넘어지지 않고 쭉 달려갈 수 있는 겁니다.

결론적으로 하루아침에 엄청난 변화를 이루는 것, 1시간 만에 엄청난 능력 향상을 이루는 것과 같은 비현실적인 목표를 세운다면, 그 목표는 여러분에게 절대로 도움이 되지 않을 것이라는 사실을 말씀드리고자 하는 겁니다.

그렇다면 스피치 트레이닝과 관련해서는 어떤 목표를 세우는 것이 좋을지에 대해 생각해봅시다.

스피치의 입문 단계에서의 목표는 '흥미를 잃지 않을 수 있는 정도'로 세우는 것이 매우 중요합니다. 그래야 알맞습니다. '매일 10분씩 스피치 트레이닝에 투자하기'와 같이 매우 작고 소박한 목표를 세워서 시작하시길 바랍니다. 처음부터 너무 거창한 목표(예를 들어, 하루 2시간 씩 스피치 트레이닝하기)를 세우면 흥미를 잃을 수밖에 없기 때문입니다. 평생토록 안하던 것을 갑작스럽게 하면, 뇌는 거부반응을 일으키거든요. 그러면 금방 스피치 트레이닝을 내려놓게 될 겁니다.

그러므로 명심하시길 바랍니다. 꼭 '매우 작고 소박한 목표로 시작하는 것'을요.

그렇다면 장기적으로는 어떤 목표를 세워야 할까요? 『신경 끄기 연습』(2023)이라는 책은 우리에게 매우 흥미로운 사실을 알려주고 있습니다. 이 책은 부담감을 내려놓는 방법 중 하나로 '적당히 노력해서 3등을 노리는 방법'을 소개합니다. 스피치 트레이닝도 마찬가지입니다. 종종 "저는 어느 곳에서도 말을 제일 잘하는 사람이 되는 것이 목표에요."라며 당찬 포부를 가지고 오시는 분들이 계십니다. 물론 이런 열정적인 자세는 너무 좋습니다. 하지만 이처럼 원대한 목표는 필연적으로 어느 순간부터 부담감을 가져옵니다. 그리고 이 부담감이 능력을 반감시키는 역할을 합니다. 그래서 '적당히 노력해서 3등을 노리는 방법'을 장기적인 목표로 삼는 것이 유리합니다.

정말 그게 도움이 될까요? 이와 관련하여 유니버시티칼리지 런던에서 진행한 실험은 흥미로운 결과를 우리에게 알려줍니다. 이 실험에서는 사람들을 게임의 결과에 따라 1달러의 보상을 받기로 한 그룹과 10달러의 보상을 받기로 한 그룹으로 나눴습니다. 결과는 어떻게 되었을까요? 10달러의 보상을 받기로 한 그룹의 게임 승률이 10% 낮아졌습니다. 왜 이런 결과가 나왔을까요?

사람이 무언가를 강렬히 욕망할 때, 뇌는 도파민으로 과열되고, 이로 인해 수행능력이 떨어진다고 합니다. 반대로 손쉽게 달성할 수 있는 목표를 통해 작은 승리감을 느끼면, 뇌에서는 테스토스테론 분비가 촉진되고 수행능력을 향상시킨다고 합니다.[8] 즉 어느 정도의 느슨함이 필요한 거죠.

제 경우를 이야기해보자면, 저는 어려서부터 말을 굉장히 잘하고 싶어 했는데, 제 스피치 능력이 빠르게 향상되기 시작한 것은 목표를 바르게 설정했을 때부터였습니다. 사실 앞서 말씀드렸던 문장 "저는 어느 곳에서도 말을 제일 잘하는 사람이 되는 것이 목표에요."는 제가 막연하게 가지고 있었던 생각이었습니다. 그러나 이런 생각을 내려놓고 "저는 어느 곳에서도 평균보다 조금 말을 잘하는 정도의 사람이 되었으면 좋겠어요."라고 목표를 변경한 순간부터 급격

---

8) 보다 자세한 내용은 나이토 요시히토, 『신경 끄기 연습』, 김한나, 유노책주, 2023.을 참고해주시기 바랍니다.

한 향상을 맛보게 되었습니다. 이때부터 비로소 부담 없이 스피치 트레이닝을 즐길 수 있게 되었거든요.

정리하자면 우리는 스피치 트레이닝을 위해 단기적인 목표와 장기적인 목표를 세워야 하고, 그것이 여러분에게 부담을 주는 수준이 되어서는 안 된다는 겁니다. 알맞은 목표란 '부담이 없는 작고 소박한 것'입니다. 지금부터는 아래의 칸에 여러분 각자만의 '알맞은' 단기 목표와 장기 목표를 세워서 적어보시길 바랍니다. 올바른 목표를 잘 세울수록 여러분의 스피치 능력은 빠르게 향상될 테니까요.

나의 단기적인 스피치 목표는,

나의 장기적인 스피치 목표는,

2장

스피치 트레이닝

스피치 트레이닝의 첫 시작은 '나라는 사람에 대해 아는 것', 즉 자기 자신에 대해 아는 것으로부터 시작되어야만 합니다. 스피치 능력이 필요한 자리에서 말을 하는 사람은 여러분 자신이지, 다른 사람이 아닙니다. 그래서 저는 '가장 나답게 스피치하는 것'을 언제나 제일 중요하게 생각합니다.

05
'나'라는 사람을 파악하라

스피치 트레이닝의 첫 시작은 '나라는 사람에 대해 아는 것', 즉 자기 자신에 대해 아는 것으로부터 시작되어야만 합니다. 스피치 능력을 필요로 하는 자리에서 말을 하는 당사자는 여러분 자신이지, 다른 사람이 아닙니다. 그래서 저는 '가장 나답게 스피치 하는 것'을 언제나 제일 중요하게 생각합니다.

그러나 대부분의 경우 스피치 트레이닝을 시작할 때, 다짜고짜 특정 인물을 목표로 놓고 그 사람처럼 되고자 하는 경우가 많습니다. 물론 훌륭한 롤 모델은 필요합니다. 이 책의 뒷부분에서도 롤 모델에 대한 이야기를 다룰 겁니다. 하지만 제가 여기서 말씀드리고 싶은 것은, 첫 단추를 롤 모델처럼 되는 것으로 꿰면 안 된다는 겁니다.

누군가처럼 되려고 하지 마세요. 여러분 자신이 되세요. 내가 어떤 사람인지를 알고, 내가 어떤 기질을 가진 사람인지를 알고, 내가 어떤 성향을 가진 사람인지를 아는 것에서 시작하시기 바랍니다.

실제 제 이야기를 들려드리도록 하겠습니다.

저는 어린 시절 정말 닮고 싶은 동네 형이 있었어요. 무엇을 닮고 싶었냐면, 그 형의 놀라운 말솜씨를 닮고 싶었습니다. 그 형이 입만 열면, 주변 사람들이 엄청나게 재밌어했거든요. 그 형은 태생 자체가 활기차고 재미있는 사람이었던 겁니다. 요즘 유행하는 MBTI에 빗대어 이야기해보자면, 그 형은 극단적인 E에 속하는 매우 외향적인 사람이었던 거예요. 저는 이런 동네 형을 닮고 싶어서 따라해 보려고 참 많이 노력을 했던 것 같습니다. 그런데 문제가 있었어요. 어린 시절의 저는 그 형과 정반대로 극 I에 속하는 엄청나게 내향적인 사람이었다는 겁니다. 실제로 말주변이 없었고, 말을 잘 못했어요. 그런데 저는 그런 제 자신에 대해 객관화가 되어 있지 않았던 거예요. 그런 상태에서 태생적으로 출발점이 완전히 다른 그 형을 따라하려고 아무리 노력해도 절대 따라할 수가 없더라고요. 오히려 절망만 하게 되었습니다. "나는 안 되는 사람이구나."라며 말이죠. 이게 우리가 기억해야 할 현실입니다.

분명 우리는 스피치에 있어서 롤 모델이 필요합니다. 그러나 나라는 사람에 대한 객관화가 되어 있지 않으면, 우리는 현실적으로 나에게 전혀 맞지 않는 엉뚱한 사람을 롤 모델로 삼고, 그 사람처럼 되지 못해서 실망하고 좌절하고 넘어지게 될 겁니다. 제가 그랬던 것처럼 말이죠.

제 스피치가 엄청나게 향상되기 시작한 시점이 언제였냐면, 제 자신에 대해 객관적으로 바라보게 되고 그것을 받아들였을 때였습니다. 그때부터는 제가 정말 롤 모델로 삼아도 될 만한 마땅한 사람들이 눈에 보이기 시작하더라고요. 그때부터 정말 현실적으로 성장을 이룰 수 있었습니다.

그래서 지금부터는 '나라는 사람'에 대해 작성해보는 시간을 가지려 합니다. 무엇을 작성하셔도 다 좋습니다. 여러분에 대한 것이라면 다 좋아요. 여러분이 어떤 사람인지, 무엇을 좋아하고 무엇을 싫어하는 사람인지, 어떤 성향을 가진 사람인지, 어떤 성격을 가진 사람인지, 어린 시절부터 어떤 꿈을 가지고 있던 사람인지, 어떤 장점과 단점을 가진 사람인지, 무엇을 할 때 가장 행복한 사람인지. 이 밖에도 다양한 것들에 대해 적어보시기 바랍니다. 다음 내용들이 궁금하고 귀찮다며 대충 넘어가지 마시고, 한 페이지를 가득 채워서 적어주시기를 부탁드리겠습니다.

나라는 사람은?

_____

_____

_____

_____

_____

_____

_____

_____

_____

_____

_____

_____

_____

_____

_____

잘 적어보셨나요? 고생 많으셨습니다.

제가 여기서 말씀드리고 싶은 것은, 타고난 자신의 기질을 무조건적으로 버리려고 하시지 않았으면 좋겠다는 겁니다. 다른 사람에 빗대어 자기 자신을 비교하며 바라보는 것이 아니라, 자기 자신을 있는 그대로 받아들이고 사랑할 때, 성장이 본격적으로 시작될 테니까요.

이 시간이 자기 자신에 대해 알아가는 데 도움이 되는 시간이었기를 간절히 바랍니다. 여러분은 이제 본격적으로 '가장 나답게 스피치 하는 것'을 향해 달려가실 준비가 되었습니다. 앞으로 여러분을 기다리고 있는 것은 아름다운 성장뿐입니다.

06

입을 여는 빈도수를 높여라

말을 잘하기 위해서 가장 많이 해야 하는 것이 있다면 무엇일까요? 바로 '말'입니다. 운동도 많이 해본 사람이 잘하고, 공부도 많이 해본 사람이 잘하는 것처럼, 말도 많이 해본 사람이 잘합니다. 그래서 우리는 평소에 입을 여는 빈도수를 높여야 합니다.

스피치 트레이닝에 돌입한 여러분은 입을 여는 빈도수를 높이기 위해, 오늘부터 매일 저와 함께 게임 하나를 하도록 할 겁니다. 바로 [눈에 보이는 글씨 읽기 게임]입니다. 지금 바로 고개를 들어 주위를 한 번 둘러보시기 바랍니다. 어떤 글씨들이 주위에 있나요? 그 글씨들을 다 읽어보시기 바랍니다. 어린 아이들이 글씨 읽기 연습을 하듯, 또박또박 다 읽어보시는 거예요.

이제부터 이것을 매일 게임하듯이 일상 속에서 해주시면 되는데요. 장난치듯이 쉽고 재밌게, 가벼운 마음으로 해주시면 되겠습니다. 우리는 일상생활 가운데 여기저기서 정말 다양한 글씨들을 만나볼 수 있는데, 그때마다 기회를 놓치지 말고 또박또박 다 읽어보시기 바랍니다. 책을 봐도, 컴퓨터를 봐도, 핸드폰을 봐도, 버스를 봐도, 택시를 봐도, 간판을 봐도, 어디를 봐도 글씨가 있지 않습니까? 그걸 그냥 소리 내서 읽어주세요.

단 이 게임을 잘 해내기 위해 여러분이 신경 써야 할 것이 딱 하나 있습니다. 앞에서도 이미 말했지만 '또박또박 읽는 것'입니다. 이것만 명심해주시면 되겠습니다. 어렵지 않죠?

그런데 [눈에 보이는 글씨 읽기 게임]이 우리에게 왜 필요할까요? 도대체 우리의 스피치에 이 게임이 어떤 도움을 줄 수 있다는 걸까요?

몇 가지로 답을 드릴 수 있을 것 같아요. 먼저는 입을 여는 빈도수를 늘리기 위함입니다. 입을 여는 빈도수가 높아질수록 말을 잘하게 될 수밖에 없습니다. 그러므로 무조건 입을 많이 여는 것이 스피치 훈련에 있어서 최고입니다. 그런데 문제는 생각보다 우리의 생활 패턴이 입을 여는 빈도수가 높지 않은 생활패턴일 수 있다는 거예요. 물론 각자마다 처한 상황과 환경이 달라서 당연히 차이가 있겠지만요.

아무튼 입을 여는 빈도수가 높지 않은 분들께 평소에 아무 말이나 많이 해보시라고 당부를 드리면, 대부분은 잘 못합니다. 왜냐? 할 말이 없거든요. 그래서 눈에 보이는 글씨를 무엇이 되었든 그냥 입을 열어 읽어보는 방법을 도입하게 된 겁니다.

이렇게 할 때, 또 한 가지 매우 도움이 되는 부분이 하나 있습니다. 평소에 우리는 주로 사용하는 단어들이 사실상 거의 정해져 있다고 봐도 무방합니다. 직업에 따라, 환경에 따라 쓰는 단어가 꽤 고정되어 있는 것이죠. 그러다보니 특정 단어들에 대해서만 우리의 입이 익숙함을 느낍니다. 그래서 우리는 다양한 단어들을 소리 내어 읽어보고 발음해보는 기회를 많이 가져볼 필요가 있습니다. [눈에 보이는 글씨 읽기 게임]은 우리에게 이런 기회를 많이 제공해줍니다. 어느 곳에 어떤 글씨가 쓰여 있을지 모르기 때문이죠.

여러분이 이 게임에 재미를 붙이실 수 있도록 한 가지 방법을 더 제안 드리도록 하겠습니다. 게임을 하는

데, 여러분에게 아이템이 하나씩 주어졌어요. 바로 '아나운서 목소리/성우 목소리'라는 아이템입니다. 이 아이템을 적극적으로 활용하면서 게임에 참여해주세요. 쉽게 말해서 스스로 아나운서 혹은 성우가 되었다는 생각으로 멋있게 글씨들을 읽어보라는 겁니다. 흥미롭게도 여러분이 이 아이템을 적극 활용하여 게임에 적극적으로 참여하신다면, 발성 트레이닝과 발음 트레이닝이 저절로 함께 될 겁니다.

어떻습니까? 정말 해볼 만한 게임 아닙니까? '꼭' 해보시기 바랍니다. 그리고 '꾸준히' 해보시기 바랍니다. 엄청 쉽지만 여러분에게 확실하게 성장을 가져다줄 엄청난 게임이니까요.

마지막으로는 입을 여는 빈도수를 높이기 위한 좋은 방법을 하나만 더 알려드리고 마치도록 하겠습니다.
"편안한 사람들을 자주 만나세요." 가족이 될 수도 있고, 친한 친구들이 될 수도 있겠죠? 누가 되었든 다 좋습니다. 함께 있을 때 편안한 사람들을 최대한 많이 만나면, 우리는 자연스럽게 입을 여는 빈도수를 높이고 동시에 좋은 시간까지 보낼 수 있습니다.

지금 당장 핸드폰을 꺼내서 편안한 사람에게 만나자고 연락을 해보는 건 어떨까요? 그리고 그분을 만나러 가는 길에 가벼운 마음으로 [눈에 보이는 글씨 읽기 게임]을 해보시기 바랍니다.

07
메모의 달인이 되어라

훌륭한 스피치 능력을 갖추기 위해 우리가 열심히 사용해야 하는 신체기관이 있습니다. 어디일까요? 정답은 '손'입니다. 대뇌과학자들은 손이라는 신체기관을 '제2의 뇌' 혹은 '밖에 나와 있는 뇌'라고 말하곤 합니다.

여러분이 이러한 손이라는 신체기관을 스피치 트레이닝의 과정에서 적극적으로 그리고 많이 사용하신다면, 큰 도움을 얻으실 수 있을 겁니다. 여러분이 손을 얼마나 적극적으로 사용하느냐에 따라 두뇌활성의 정도가 달라지고, 생각의 깊이가 달라지고, 논리적인 정도가 달라질 테니까요.

메모의 중요성에 대해 몇 사람들의 이야기를 들어볼까요? 경영컨설턴트 윤은기 박사님은 사카토 켄지의

『메모의 기술』이라는 책에 추천의 글을 남기셨습니다. 그런데 이런 말을 하셨어요. "나는 방송과 강의를 하면서 20여 년 동안 새로운 정보나 아이디어를 항상 메모해 오고 있다. 생방송 인터뷰 중에 메모할 때도 있다. 그동안 수많은 강의를 해왔지만 듣는 사람들이 늘 새롭게 느껴진다고 하는 비결은 바로 '메모'인 것이다."9) 1965년 노벨물리학상을 수상한 미국의 이론물리학자 리처드 파인만(Richard Feynman, 1918-1988)은 메모와 스케치를 하는 행위는 단순한 기록행위로 보지 않았다고 합니다. 그 기록하는 행위 자체를 '생각하는 행위'라고 정의했습니다.10) 과학 저널리스트이자 작가인 애니 머피 폴(Annie Murphy Paul)은 자신의 책 『익스텐드 마인드』에서 "작성한 메모는 우리가 더 높은 단계로 나아가 새로운 지평을 열 수 있게 해준다."고 말하였습니다.

이외에도 너무나도 다양한 분야의 수많은 전문가들이 메모의 중요성에 대해 목소리를 내고 있는 것이 현실입니다. '메모'라는 것이 생각을 깊이 하도록 만들어주고, 그 생각들을 정리해주고, 새로운 통찰까지 얻을 수 있

---

9) 사카토 켄지, 『메모의 기술』, 고은진, 해바라기, 2005, 7.
10) 자세한 내용은 애니 머피 폴, 『익스텐드 마인드』, 이정미, 알에이치코리아, 2022.를 참고해주시기 바랍니다.

도록 길을 열어준다는 것을 다들 잘 알고 있기 때문인 거죠.

저는 앞서 〈1장 재정의의 시간〉을 통해, 말을 잘한다는 것은 생각을 잘하는 것과 같은 것이라는 사실에 주목한 바 있습니다. 그런데 제가 지금 집중하고 있는 '메모'라는 것이 무슨 역할을 합니까? '생각을 잘하도록' 만드는 역할을 합니다.

정리하자면 여러분이 생각을 잘할 수 있도록, 더 나아가 말을 잘할 수 있도록 돕는 최고의 아이템이 메모라는 거예요. 그러므로 스피치 능력을 향상시키고 싶은 여러분이 가장 먼저 습관화해야 하는 것이 바로 메모입니다. 그런 의미에서 당장 실습을 한 번 해보고 넘어갈까요? 지금 여러분이 어떤 기분인지, 무슨 생각을 하고 있는지 구체적으로 한 번 적어보시기 바랍니다. 최대한 구체적으로 말이죠.

지금 나는

_____

_____

_____

_____

잘 적어보셨나요? 지금부터는 본격적으로 메모의 달인이 되는 방법에 대해 몇 가지 이야기를 나눠보려고 합니다.

먼저 질문해볼게요.

"메모를 잘한다는 것은 무엇일까요?"

여러분의 어린 시절, 주변에 이런 친구가 한 명씩은 있으셨을 겁니다. 노트 필기를 정말 기가 막히게 하는 친구. 수업시간에 필기해놓은 것을 보면, 노트가 교과서보다 더 교과서 같은 친구들이 꼭 한 명씩은 있습니다. 그렇죠? 그런데 메모라는 것도 이런 식으로 할 때, 잘한다고 말할 수 있는 걸까요?

저는 단호하게 아니라고 생각합니다. 메모는 얼마나 좋은 형식을 갖추고 있는지, 얼마나 예쁘게 했는지가 중요하지 않습니다. 그것은 메모의 본질이 아닙니다. 『메모의 기술』의 저자 사카토 켄지도 이렇게 말하였습니다. "메모는 특별히 정해진 형식이 없다. 시간이 지난 후에도 본인이 알아볼 수 있으면 된다. 어렵고 딱딱하게 생각하지 말고, 그때그때 떠오르는 것을 기록하면 된다."[11] 메모의 본질은 여기에 있습니다. '그때그때

---

11) 사카토 켄지, 『메모의 기술』, 고은진, 해바라기, 2005, 10.

떠오르는 것을 기록하는 것', 이게 가장 중요합니다.

그러므로 여러분, 메모를 잘하는 것이 무엇일까에 대한 고민은 저 멀리 던져버리시고, 오늘부터는 생각날 때마다 뭐든 좋으니 일단 적어보시기 바랍니다. 그때그때 떠오르는 것이라면 뭐든 좋으니 적어보세요. 메모의 빈도수가 늘어나는 만큼, 여러분의 스피치 능력도 향상될 테니까요.

이를 위해 제가 하는 사용하는 방법을 알려드리고 마치도록 하겠습니다.

메모를 자주 하려면 무엇이 준비되어 있어야 할까요? 그렇습니다. '종이'와 '펜'이 준비되어 있어야 합니다. 그래서 저는 손만 뻗으면 닿는 거리에 언제나 종이와 펜을 비치해놓습니다. 제가 사용하는 모든 가방에도 종이와 펜을 넣어놓고, 차에도 언제나 작은 메모지들과 펜을 비치해놓습니다. 이처럼 종이와 펜이 언제나 주위에 있으면, 아무래도 메모의 빈도수가 늘어날 수밖에 없으니까요. 여러분도 저처럼 오늘부터는 종이와 펜을 여기저기에 많이 비치해두시기 바랍니다.

물론 이처럼 아날로그 방식만을 고집하여 메모를 할

필요는 없습니다. 스마트폰을 활용하여 음성메모를 자주 남기는 것도 도움이 됩니다. 실제로 저는 운전이나 운동을 하고 있을 때, 즉 종이에 메모를 할 수 없는 상황일 때는 스마트폰이나 스마트워치를 활용하여 음성메모를 자주 남겨놓습니다. 여러분도 아날로그 방식과 디지털 방식을 적절히 잘 활용해보시기 바랍니다.

마지막으로 한 가지만 더 말씀드리고 마치도록 할게요. 되도록 매일 저녁 잠자리에 들기 전, 일기를 써보세요. 누가 검사하는 거 아니니까, 하루 동안 어떤 일들이 있었는지, 그때 어떤 기분이 들었는지 등을 있는 그대로 아주 솔직하게 적어보세요.

그리고 일기의 마지막에는 오늘 하루에 대한 '한줄평'을 꼭 적어보시기 바랍니다. 이게 핵심이에요. 한줄평이라는 것은, 쉽게 말해 여러분의 생각을 한마디로 표현하는 것입니다. 이건 생각이 제대로 정리되지 않으면 쓰기가 굉장히 어려워요. 그래서 가벼운 마음으로 일기를 쓰시되, 마지막 한줄평만큼은 심혈을 기울여서 생각을 잘 정리하신 후에 잘 적어보시기 바랍니다.

말을 잘하고자 노력하고 계신 여러분, '메모'와 '일기 쓰기'를 이 두 가지를 늘 기억해주세요. 그리고 오늘부터 꼭 시작해주세요. 여러분의 스피치 능력을 크게 바꿔줄 겁니다.

08
머릿속에서 지워라

효과적인 스피치 트레이닝을 위해 여러분이 머릿속에서 반드시 지워야할 것들이 있습니다. 따라 읽어볼까요?

"나도"
"몰라"
"그냥"
"아무거나"
"마음대로"
"상관없어"

이런 식의 대답은 이제 더 이상 여러분에게는 없는 겁니다. 머릿속에서 완전히 지워주셔야 해요. 누군가가 여러분에게 의견을 물었을 때, 여기서 언급한 대답들이 절대로 여러분의 입 밖으로 나와서는 안 됩니다.

왜 그럴까요? 저는 계속해서 말을 잘하는 것은 생각을 잘하는 것과 직결된다는 이야기를 해왔습니다. 그런데 우리가 "나도", "몰라", "그냥", "아무거나", "마음대로", "상관없어"라고 대답하기 시작하면 문제가 일어나버리는 거예요. 바로 생각을 안 하게 되는 겁니다. 스피치 트레이닝에 있어서 너무나도 치명적인 것이죠.

그럼 지금부터 여러분은 누군가가 의견을 물어보았을 때, 어떻게 하면 될까요? 있는 그대로 여러분의 생각을 꺼내놓으시면 됩니다. 상황을 가정해볼까요?

여러분이 친구들과 만나서 즐거운 시간을 보내고 있었습니다. 그러다보니 어느덧 저녁을 먹을 시간이 되었어요. 친구가 여러분에게 이렇게 물어봅니다. "저녁 뭐 먹을까?" 이때 뭐라고 대답하시겠습니까? "너 먹고 싶은 거" 안 되고, "몰라" 안 되고, "아무거나" 안 되고, "마음대로" 안 되고, "상관없어"도 안 됩니다. 뭐라고 대답하실래요? 이런 질문을 받은 경우, 많은 사람들은 두 가지 중 한 가지 상태에 빠지게 됩니다.

첫째, 뭘 먹고 싶은지 생각하기가 귀찮다.

둘째, 먹고 싶은 게 있긴 한데 설명하기가 귀찮아 친구들을 배려한다는 핑계로 대충 넘어간다. 우리는 오늘부터 절대로 이 두 가지 상태에 빠져서는 안 됩니다. 결국 둘 다 귀찮은 거예요. 생각하기가 귀찮고, 생각을 했더라도 그것을 설명하기가 귀찮고, 이러나저러나 귀찮아서 말을 안 하는 겁니다. 하지만 이런 귀찮음이 여러분의 스피치 능력을 철저히 망가트립니다.

그러므로 여러분은 이 귀찮음을 이겨내시고, 여러분의 생각을 있는 그대로 표현하는 연습을 꼭 해주셔야 합니다. 다만 이기적인 모습으로 혹은 공격적인 모습으로 여러분의 생각을 표현해서는 안 되겠죠? 저는 앞서 훌륭한 스피치는 인품이 결정한다고 이야기했습니다. 상대를 배려하는 마음을 전제로 한 상태에서 여러분의 생각을 있는 그대로 표현하는 연습을 꼭 하시길 바랍니다.

그럼 한 번 실습해볼까요? 친구가 여러분에게 이렇게 질문했습니다. "밥 뭐 먹으러 갈래?" 여러분은 뭐라고 대답하시겠습니까? 여러분의 생각을 있는 그대로 꺼내주세요. 그리고 여러분의 대답을 아래에 적어보시기 바랍니다.

_____

_____

09
공식을 지켜라

기존에 스피치에 관심을 가져보신 분들은 알고 계시겠지만, 스피치 전문가들이 제안하는 다양한 스피치 공식들이 존재합니다. 가장 일반적으로 잘 알려진 공식 중 하나는 O-B-C 공식입니다. O-B-C는 Opening-Body-Closing의 약자입니다. 쉽게 말해, 서론-본론-결론이라는 구조를 떠올리고 그것에 맞춰 스피치를 하라는 겁니다. 굉장히 훌륭한 공식이죠. 여러분도 우선은 O-B-C를 기억해주시기 바랍니다. 이건 기본적인 스피치 공식이니까요.

그런데 제가 이 책을 통해 여러분에게 알려드리려고 하는 공식은 조금 다른 공식입니다. 한 번 배우면, 평생 기억할 수 있을 만큼 매우 쉬운 공식이기도 합니다. 궁금하지 않습니까?

말을 잘하고자 노력 중이신 여러분이 일상생활 속에서 말을 해야 할 때 지켜야할 너무나도 중요한 공식, 지금부터 알려드릴게요.

"3초만 참아라."

이게 끝입니다. 공식의 전부예요. 정말 쉽죠? 말을 잘 못하는 사람들은 대부분 그 이유가 분명합니다. 생각이 정리되지 않은 상태로 말을 시작해버리기 때문에 말을 잘 못하는 거예요. 내가 무슨 말을 할 것인지, 무엇이 요점인지에 대해 스스로 정리되지 않은 상태에서 말을 시작하면, 중간에 "내가 지금 무슨 말을 하고 있는 거지? 뭘 말하려고 했었지?"라는 생각을 하게 됩니다. 하지만 그땐 이미 늦었습니다. 돌이킬 수가 없어요. 여러분은 이미 말을 잘 못하는 두서없는 사람이 되어버린 겁니다.

일반적으로 사람들은 말을 할 때, 세 가지 유형으로 구분이 되는데요. 여러분은 어떤 유형이신가요? 스스로를 체크해보시기 바랍니다.

(1) 일단 말을 뱉고 보는 유형
(2) 말을 하면서 동시에 생각하는 유형
(3) 생각을 정리하고 말을 시작하는 유형

우리가 스피치 트레이닝에서 목표로 하는 것은 (3) 생각을 정리하고 말을 시작하는 유형이 되는 것입니다. 이것을 위해 우리가 평소에 늘 생각해야 할 공식이 "3초만 참아라"에요. 물론 3초 이상 참으셔도 됩니다. 이 시간동안 여러분이 해야 할 것은 '생각'입니다. 무엇을 생각해야 하냐고요? 지금 내가 하고자 하는 말의 '요점'이 무엇인지 생각하시면 됩니다. 요점정리가 되면 말을 시작하세요. 그래도 늦지 않습니다. 정말 안 늦어요.

"3초만 참아라"라는 이 공식은 정말 별 것 아닌 것 같이 느껴지지만, 실제로 많은 분들이 이것만 잘 지켜도 스피치 능력이 엄청나게 향상됩니다. 믿고 따라와 주세요.

마지막으로 정리하고 마치겠습니다. 절대로 여러분의 '말'이 여러분의 '생각'보다 앞서서는 안 된다는 것을 명심하세요. 말이 아닌 생각이 앞설 수 있도록 늘 3초만 참으세요. 물론 이게 처음부터 잘 되지는 않을 겁니다. 그렇지만 포기하지 마시고, 늘 인식하시기 바랍니다. '3초'를요. 그 짧은 시간이 여러분의 스피치를 바꿔줄 겁니다.

이렇게 상상해보면 어떨까요? 여러분이 3초 이상 생각하지 않고 말하면 입에 가시가 돋는 병에 걸려버리고 말았다고 말이죠. 이처럼 게임하듯이 가벼운 마음으로 이 공식을 즐겨보시기 바랍니다.

10
서점에 가서 동화책을 구입하라

숙제를 하나 드리도록 하겠습니다. 읽고 싶은 동화책을 하나씩 선정하시고, 그 동화책을 구입하시기 바랍니다. 가까운 중고서점에 가서, 동화책 코너에 있는 저렴한 동화책 중 마음에 드는 것을 고르셔도 됩니다. 그리고 동화책을 읽어주시면 되겠습니다.

종종 왜 동화책이냐고 물어보는 분들이 계시는데, 이건 단순히 여러분의 부담을 덜어드리기 위함입니다. 모든 트레이닝을 가벼운 마음으로 접근해야 가장 빠른 성장을 맛볼 수 있거든요. 그래서 분량이 많지 않은 동화책으로 하는 겁니다. 게다가 동화책은 우리에게 감동을 주기까지 하고, 다양한 생각을 해볼 수 있도록 우리의 뇌를 자극해줍니다. 여러모로 이 트레이닝에서는 동화책만한 게 없어요. 물론 평소에 책을 읽는 취미를 가지고 계신 분이라면, 책 읽기에 대한 두려움이 전혀 없는 분이라면 다른 책을 선택하셔도 무관합니다.

아무튼 지금부터는 책을 읽어주시면 되겠습니다.

독서 시간

다 읽으셨나요? 그렇다면 지금부터는 '요약'과 '느낀 점'을 아래에 적어주시면 되겠습니다.

이렇게 상상해볼까요? 여러분이 지금 적은 내용을 누군가에 들려주어야 하는 상황인 거예요. 여러분이 그 사람을 위해 해야 할 것은, 최대한 생동감 있고 생생하게 들려주는 겁니다. 이렇게 표현해보면 어떨까요? 여러분이 여러분의 말로 그 사람의 머릿속에 그림을 그려줘야 하는 상황인 거예요. 아시겠죠? 이것을 위해 최대한 정성스럽게, 최대한 표현력을 살려서 책의 내용과 느낀 점을 적어주세요. 그리고 꼭 '구어체'로 적어주시기 바랍니다. 아시겠죠? 그럼 지금부터 본격적으로 시작해주시면 되겠습니다.

책 제목:
_____

요약과 느낀 점:
_____

다 적으셨나요? 고생 많으셨습니다. 이제는 핸드폰을 꺼내서 음성메모 어플리케이션을 준비해주시기 바랍니다. 이제 녹음 버튼을 누르시고, 앞에서 적은 내용을 실제로 다른 사람에게 들려주듯이 정성스럽게 읽어주세요. 지금부터 녹음을 시작하시면 됩니다.

녹음 시간

녹음을 잘 마치셨나요? 그럼 지금부터는 녹음한 것을 들어보세요. 어떻게 들리시나요? 들어보시면서 여러분은 몇 가지 체크를 해주셔야 합니다. (1) 어떤 부분의 표현이 부족하게 들리는지, (2) 어떤 부분의 전달력이 부족하게 들리는지.

어떠셨나요? 대부분의 경우 이번 트레이닝이 상당히 괴로운 작업이셨을 것이라 생각합니다. 스피치 트레이닝의 과정에서 나의 현재 상태를 직면하는 것보다 고통스러운 것은 없거든요. 저도 많이 경험해보았기 때문에 잘 알고 있습니다. 그럼에도 불구하고 여러분께서 이 과정의 괴로움을 묵묵히 감당해주시고, 이 트레이닝을 자주 반복해주시기를 간곡히 부탁드리겠습니다.

왜냐하면 이것보다 빠르게 다양하고도 아름다운 표현의 방식들을 접하고(책의 내용을 통해), 생각하는 능력과 말하는 능력을 동시에 키울 수 있는 좋은 방법이 없기 때문입니다. 그래서 지금부터는 여러분이 직접 목표를 세우는 시간을 가져볼까 합니다.

오늘 이후로 여러분이 이 트레이닝을 어느 정도의 주기로 꾸준히 반복해서 해볼 것인지, 각자만의 목표를 세워보세요. 너무 부담되지 않는 선에서 목표를 세우는 것이 가장 좋겠죠? 하지만 여러분이 본격적으로 스피치에 대한 욕심이 생기셨고, 스피치 향상을 더 빨리 경험하고 싶은 열망이 생기셨다면, 목표를 조금 높게 설정하셔도 좋을 것 같습니다.

저는 주마다 (   )회, 한 달에 총 (   )회 이상 해보겠습니다.

11

유튜브를 이렇게 봐라

여러분은 하루에 유튜브를 얼마나 사용하시나요?

한 기사에 따르면 한국인 10명 중 8명이 유튜브를 사용하고 있으며, 1인당 월평균 33시간 동안 유튜브를 시청한다고 합니다. 구체적으로 10대 이하는 월 평균 45.2시간, 20대 여성은 40.2시간, 20대 남성은 39.6 시간 유튜브를 사용한다고 합니다.[12] 엄청나죠?

월평균 33시간이라는 시간을 한 달을 30일로 기준 잡아 계산했을 때, 일반적으로 사람들이 하루 평균 1.1 시간 정도를 유튜브에 사용하고 있다고 말할 수 있겠습니다. 바쁜 현대인들의 일상에서 이 정도의 시간은 결

---

12) 이정현, "유튜브, 한국인 10명 중 8명 사용...1인당 월평균 33시간 시청", 연합뉴스, 2022.10.22.
https://www.yna.co.kr/view/AKR20221012069200017

코 짧지 않은 시간이죠. 아무리 피곤해도, 아무리 잠이 부족해도 누워서 유튜브 좀 보다가 잠드는 것이 현대인의 일상인 것 같아요.

혹시 여러분의 이야기 같지 않으신가요? 여러분도 유튜브 많이 보시죠? 저도 정말 많이 봅니다. 그런데 유튜브를 많이 보다 보면, 어딘지 모르게 죄책감이 들 때가 있는 것 같아요. 괜히 이런 생각이 드는 거죠. "이럴 시간에 다른 생산적인 일을 하면..." 그렇지만 끊을 수 없는 엄청난 매력을 가진 것이 유튜브인 것 같습니다.

그래서 지금부터는 여러분의 이러한 죄책감을 덜어드림과 동시에, 여러분의 목소리의 가용범위를 넓혀드리기 위한 솔루션을 제공하도록 하겠습니다. 오늘부터는 유튜브를 볼 때, 이렇게 보세요.

"따라하면서 유튜브 보기"

여러분이 시청하는 거의 모든 유튜브 영상에는 목소리가 나옵니다. 그 목소리를 따라하면서 유튜브를 보세요. 영상에서 나와 다른 성별의 목소리가 나오든, 어린아이의 목소리가 나오든, AI 목소리가 나오든, 성우의 목소리가 나오든, 연예인의 목소리가 나오든 다 상관없습니다. 전부 다 따라시면 됩니다. 성대모사를 한다는 생각으로 최대한 따라해 주세요.

　일반적으로 대부분의 사람들은 평소 자신이 주로 사용하는 말투, 목소리, 억양 등이 있는데, 이것이 굉장히 제한적이에요. 그런데 여러분이 다른 사람들에게 말을 잘한다는 이야기를 듣고자 하신다면, 지금보다 더욱 다채로운 말투와 목소리, 억양 등을 구사하셔야 합니다. 그런데 문제는 이런 부분들을 일반적인 방법으로 체계를 세워놓고 트레이닝하려고 하면, 너무 지루하고 재미도 없고 힘들다는 거예요. 저는 스피치 트레이닝은 반드시 재미가 있어야 한다고 생각하거든요? 즐기는 자를 이길 수가 없으니까요. 그래서 제가 추천 드리는 방법이 "따라하면서 유튜브 보기"인 겁니다. 이건 재밌고 효과까지 확실해요.

　실제로 저도 유튜브를 볼 때, 정말 많이 따라해 봅니다. 매일같이 성대모사를 하면서 여러 유튜브 영상들을 보는 거예요. 하다보면 스스로가 웃기기도 하고, 이상하다 싶을 정도로 잘 되는 날에는 놀라기도 하고 그래요. 그런데 그러는 사이에 제 목소리 가용범위가 늘어나고, 표현력도 풍부해지는 거예요. 너무 괜찮지 않나요? 그러니까 여러분도 지체하지 마시고 오늘부터 당장 시작해보셨으면 좋겠습니다.

그런 의미에서 지금 당장 실습해볼까요? 지금 당장 스마트폰을 켜서 유튜브에 들어가 주세요. 어떤 영상이든 다 좋습니다. 가장 흥미롭게 보이는 영상을 눌러주세요. 이로써 모든 준비는 끝이 났습니다. 지금부터는 그 영상에 나오는 목소리를 성대모사 하듯 따라하시면서 재미있게 시청해주시면 되겠습니다.

12
벤치마킹 하라

여러분은 지금까지 다양한 트레이닝을 경험하고 여기까지 오시게 되었습니다. 어떠셨나요? 지금까지 무리 없이 잘 따라오셨나요? 그렇다면 이제부터는 조금 더 깊이 있게 들어가 보도록 하겠습니다.

여러분은 저와 함께 스피치 롤 모델 3명을 정하는 시간을 갖도록 할 겁니다. 그리고 오늘부터는 그들을 벤치마킹하도록 하겠습니다.

벤치마킹(bench-marking)이란 사전적으로 "경쟁업체의 경영 방식을 면밀히 분석하여 경쟁업체를 따라잡음. 또는 그런 전략"이라는 의미를 가지고 있습니다. 물론 제가 여러분들에게 그들과 경쟁하라고 말씀드리려는 것은 아닙니다. 다만 그들을 면밀하게 분석하여 따라잡는 경지에까지 도달하는 것을 목표로 하자는 것뿐입니다. 준비되셨나요? 저는 지금까지 잘 따라오신 여러분들께서 이번에도 잘하실 수 있으리라 믿습니다.

그러면 지금부터는 스피치 롤 모델 3명을 선정하는 기준을 알려드리도록 하겠습니다. 각 항목에 해당되는 사람을 한명씩 고민해보시고 정해주시면 되겠습니다.

(1) 실제 지인 중에서 말을 잘하는 사람
(2) 목소리가 좋은 사람
(3) 유명인 중에서 말을 잘하는 사람

항목마다 보다 자세히 설명해드리도록 할게요.

(1) 실제 지인 중 말을 정말 잘하는 사람의 경우는 자주 만날 수 있는 사람으로 선정하는 것이 가장 좋습니다. 한명씩 떠올려보시길 바랍니다.

(2) 목소리가 좋은 사람은 실제로 만날 수 있는 지인이어도 좋고, 유튜브와 같은 영상에서만 볼 수 있는 사람이어도 상관없습니다. 단 현실적으로 생각했을 때, 내가 어느 정도라도 닮을 수 있을 것 같은 목소리를 가진 분으로 선정하는 것이 핵심 포인트입니다.

(3) 유명인 중에서 말을 잘하는 사람의 경우는 기존

에 좋아하는 유명인을 선정하시면 되는데, 마땅히 떠오르는 인물이 없으시다면 유튜브 채널 〈세바시 강연 Sebasi Talk〉, 〈사피엔스 스튜디오〉, 〈tvN D ENT〉 등에서 다양한 유명인들의 스피치를 들어보세요. 그리고 가장 마음에 드는 분으로 결정해주시면 되겠습니다. 단 이번에도 마찬가지로 여러분과 성향이 어느 정도라도 비슷해 보이는 분으로 선정하는 것이 핵심입니다. 우리는 '가장 나다운 스피치'를 목표로 하는 것이기 때문에 도저히 내가 따라할 수 없는, 나와 완전히 반대되는 성향을 가진 분을 롤 모델로 삼는 것은 절대로 추천 드리지 않습니다. 그건 오히려 여러분을 미궁으로 빠트리는 행위가 될 수 있거든요.

지금부터는 충분한 시간을 드리겠습니다. 고민해보시고 롤 모델 3명을 선정하여 아래에 적어주시기 바랍니다.

첫 번째 롤 모델은 (   ) 입니다.
두 번째 롤 모델은 (   ) 입니다.
세 번째 롤 모델은 (   ) 입니다.

오늘부터 여러분은 이분들에게 지대한 관심을 가지시면 되겠습니다. 그리고 주도면밀하게 그들을 분석해주시면 되겠습니다.

　이를 위하여 우선 첫 번째 롤 모델로 선정하신 분을 자주 만나주세요. 자주 만나서 그분과 대화를 많이 나누세요. 다만 대화를 나눌 때 "와.. 정말 말 잘한다."로 끝내지 마시고, 그분의 스피치를 철저히 분석하시기 바랍니다. 만난 목적을 잊으시면 안 돼요. 그분의 말투, 템포, 강약조절, 표정, 제스처 등 모든 요소가 어떤 특징적인 면을 가지고 있는지 아주 면밀히 관찰하셔야만 합니다.

　그리고 두 번째 롤 모델로 선정하신 분의 목소리를 자주 들으시고, 어떻게 저런 목소리가 나올 수 있을까에 대해 많이 고민해보세요. 그리고 성대모사 하듯 따라해 보시기 바랍니다. 성대모사만 자주 연습해도 여러분의 발성이 향상되거든요.

　마지막으로 세 번째 롤 모델로 선정하신 분의 영상을 자주 보시기 바랍니다. 그런데 그냥 영상을 보기만 하지 마시고, 전부 받아 적어서 스크립트를 만들어주세요. 스크립트가 완성되면, 그 스크립트를 들고 영상을 다시 보시면서 그분의 말투, 템포, 강약조절, 표정, 제

스처, 몸의 방향, 기승전결 등을 세부적으로 하나하나 스크립트에 기록해보시기 바랍니다. 단 구체적으로 정해진 형식은 없습니다. 메모와 마찬가지로 여러분이 이후에도 알아볼 수 있기만 하면 됩니다. 혹시 너무 막연하게 느껴지시나요? 너무 추상적으로 느껴지시나요? 그게 포인트입니다. 부지런한 생각을 통해 '여러분만의 방식'을 만들어내야 합니다. 이러한 과정을 통해 만들어낸 나만의 방식으로 롤 모델을 주도면밀하게 분석하고, 그것을 나의 것으로 만들 때 가장 효과적이고도 확실한 성장을 맛볼 수 있기 때문에 이렇게 하는 겁니다. 조금 어렵게 느껴질지라도 조금만 참고 여러분만의 분석 방식을 만들어주세요.

그리고 한 가지만 더 말씀드릴게요. 여러분이 분석을 하다보면, 선정한 롤 모델에 대한 분석이 충분히 이루어졌다고 느껴지실 때가 올 겁니다. 물론 그 시기는 각자마다 다를 겁니다. 그 시기가 올 때마다 여러분은 롤 모델을 다른 사람으로 교체해주셔야 합니다. 즉 주기적으로 새로운 롤 모델을 찾아야하는 겁니다. 왜 그럴까요? '가장 나다운 스피치'를 완성하기 위함입니다. 우리는 반드시 소수의 몇 사람이 아닌 다양하고 많은 사람들을 벤치마킹해봐야 합니다. 그리고 그들에게서 다양한 장점들을 뽑아내고, 그것들을 나만의 것으로 잘 조합해야 합니다. 명심하셨으면 좋겠어요. 우리는 '누군가의 도플갱어'가 되려고 스피치 트레이닝을 하는 것이 아닙니다. 그래서 한 두 사람의 롤 모델에게 너무 깊이 매몰되어버리면 안 되는 겁니다. 여러분은 오늘 선정한 롤 모델들에 대해 주도면밀하게 분석해주시고, 분석을 마치고 나면 빠져 나와서 다른 롤 모델을 찾아가세요. 주기적으로 말입니다. 아시겠죠?

이제 마치도록 하겠습니다. 이번에 소개해드린 작업들은 정말 쉽지 않은 작업일 겁니다. 여러분도 그렇게 느끼시나요? 그래도 저는 확신합니다. 여러분이 지금까지 순서대로 트레이닝을 잘 따라와 주셨다면, 이번에도 잘해내실 수 있을 거라고 말이죠.

그러므로 이 트레이닝을 미루지 마시고, 지금 당장 시작해보시면 어떨까요? 아마도 지금 바로 이 자리에서 시작할 수 있는 것은 '세 번째 롤 모델 분석하기'일 겁니다. 그렇죠? 그러니까 미루지 말고 지금 바로 해봅시다. 지금 당장 스마트폰을 켜서 유튜브에 들어가 주세요. 그리고 여러분이 선정한 롤 모델의 이름을 검색해주시기 바랍니다. 다양한 영상들이 나왔죠? 그 중에 가장 흥미롭게 보이는 영상을 눌러주세요. 그리고 지금부터는 영상을 보시면서 다 받아 적어주시면 됩니다. 그렇게 스크립트가 완성되면 여러분만의 방식을 도입하여 분석을 시작해주시면 되겠습니다. 여러분을 응원하겠습니다.

13

제시된 상황에 도전하라

이번 시간에는 '3분 스피치' 실습을 진행해보도록 하겠습니다. 먼저 상황을 한 번 설정해볼까요?

스피치 트레이닝에 열심을 다하고 계신 여러분께 전화 한 통이 왔습니다. 전화를 받아보니, 모든 동영상을 3분미만으로 제작하는 한 유튜브 채널에서 여러분의 이야기를 듣고 싶다며 섭외 요청을 합니다. 고민이 되었지만, 여러분은 지금까지 스피치 트레이닝 했던 것을 잘 활용해보자는 마음으로 섭외 요청에 승낙하였습니다. 그러자 유튜브 채널에서는 여러분에게 주제 10가지를 보내주며, 이 중 하나를 골라서 준비해달라고 요청하였습니다. 지금부터 여러분은 제시된 주제 10가지 중 하나를 골라서 3분 스피치 대본을 작성해주시면 되겠습니다.

1. 인생에 있어서 가장 기억에 남는 장면
2. 내가 가진 직업의 장단점
3. 나의 인생을 바꾼 멘토
4. 가장 중요하게 생각하는 가치관
5. 평생의 좌우명
6. 추천하고 싶은 인생 여행지
7. 슬럼프를 극복하는 나만의 방법
8. 위기를 기회로 바꾸었던 경험
9. 꼭 한 번 만나보고 싶은 사람
10. 30년 후의 내 모습

주제를 정하셨나요?

주제를 정하신 여러분이 3분 스피치 대본을 작성하실 때, 꼭 지켜주셔야 할 것이 하나 있습니다. 바로 '구조'입니다. 기본적으로 사람들 앞에서 자신의 이야기를 흥미롭게 잘 들려주는 사람들은 거의 대부분이 공통적으로 이 구조를 활용합니다. 따라해 볼까요? '답-근-정'

여기서의 답은 '답변', 근은 '근거', 정은 '정리'입니다. 여러분이 3분간 횡설수설하지 않고 흥미롭게 이야기를 들려주고자 하신다면, 여러분의 대본에는 반드시 주제에 대한 답변, 근거, 정리가 포함되어있어야만 합니다. 하나씩 살펴볼까요?

우선 '답변'은 말 그대로 주제에 대한 여러분의 답변입니다. 3분 스피치의 첫 시작은 반드시 주제에 대한 여러분의 생각을 답변하는 것으로 시작하셔야 합니다.

그리고 이어서 그 답변의 '근거'를 이야기해주셔야 합니다. 여러분이 만약 A라는 것을 좋아하신다면, 왜 A를 좋아하는지에 대해 구체적인 근거를 이야기해주셔야만 합니다. 두루뭉술한 근거가 아니라 구체적인 근거여야 합니다. 일반적으로 말을 잘하시는 분들은, 공통적으로 언제나 구체적인 근거를 함께 제시합니다. 그러므로 여러분은 3분 스피치 대본을 작성하실 때, 근거에 가장 많은 에너지를 쏟아주셔야 합니다.

마지막으로는 '정리'를 해주셔야 합니다. 여러분의 이야기를 한 문장으로 요약해주시면서 마무리를 지어주시면 되겠습니다. 이 과정에서는 명언(Famous saying)을 인용하시는 것도 아주 좋은 방법이 될 수 있습니다.

그럼 본격적으로 3분 스피치 대본을 본격적으로 작성해보도록 하겠습니다. 듣는 사람들에게 머릿속에 '그림을 그려준다'라는 생각을 가지고 최대한 표현력을 살려 작성해보시기 바랍니다. 지금부터 시작해주세요.

주제 :

[답변-근거-정리] 구조를 기억해주세요!

잘 적어보셨나요? 고생 많으셨습니다.

3분 스피치 대본이 완성하신 여러분은 이제 유튜브 촬영을 하러 가셔야합니다. 여러분이 가지고 계신 스마트폰을 '유튜브 채널의 카메라'라고 생각하시고, 여러분이 3분 스피치 하는 모습을 예쁘게 잘 담을 수 있도록 적절한 위치에 세팅해주시기 바랍니다. 그리고 지금부터 여러분의 3분 스피치를 촬영해주세요. 저는 여러분을 응원하겠습니다!

어떠셨나요? 지금부터는 촬영한 영상을 보시면서, 아래에 자신의 3분 스피치에 대한 피드백을 남겨보시기 바랍니다. 고생 많으셨습니다.

피드백:

_____

_____

_____

_____

_____

14
한 번 더 기회가 주어졌다고 생각해보라

어느덧 이 책의 마지막 스피치 트레이닝 순서가 되었습니다. 그동안 정말 고생 많으셨습니다. 이번 시간은 아주 간단합니다. 지금부터 여러분의 기억 속에서 다음 내용에 해당되는 순간들을 찾아주시면 되겠습니다.

해야 할 말을 제대로 하지 못해서 후회했던 순간
말 때문에 오해가 생겨 속상했던 순간
하지 말아야 할 말실수를 했던 순간

어떤 순간들이 떠오르셨나요? 지금부터 여러분은 만약에 다시 한 번 그때로 돌아갈 수 있는 기회가 주어진다면, 어떻게 말하는 것이 가장 좋을지에 대해 고민해보시고 최대한 구체적으로 적어주시면 되겠습니다.

후회되는 순간 :

_____

_____

_____

_____

_____

_____

_____

_____

_____

_____

_____

_____

어떠셨나요? 아쉽게도 우리에게는 과거를 바꿀만한 능력이 없습니다. 하지만 우리가 이런 순간들을 더 이상 만들지 않고자 최선을 다해 노력하고, 후회하지 않을 말만 입에 담을 수는 없을까에 대해 늘 고민하고 살아간다면, 미래만큼은 아름답게 바꿀 수 있을 겁니다. 그리고 여기까지 잘 따라와 주신 여러분은 분명히 그렇게 잘해내실 수 있을 겁니다.

이 책에서의 스피치 트레이닝은 여기까지입니다. 다음 장에서는 스피치와 관련된 실제적인 팁들 몇 가지를 소개해드리도록 하겠습니다. 여러분 지금까지 정말 고생 많으셨습니다. 감사합니다!

3장

실제적인 팁

스피치 능력을 **급성장**시키는 **방법**은 몇 가지가 있습니다. 이미 앞부분에서 다른 내용들 중에도 빠르게 성장할 수 있는 방법과 관련된 내용들이 있었습니다. 이곳에서 다루고자 하는 급성장의 초점은 '**디테일**'에 있습니다.

15

긴장 극복법

우리는 지금까지 스피치 트레이닝 방법들을 배우고, 연습하여 여기까지 오게 되었습니다. 한 가지 현실적인 이야기를 해드려야 할 것 같아요. 여러분, 연습과 실전은 엄청나게 다를 겁니다. 바로 '긴장감'이라는 녀석 때문에 그렇습니다.

사람들 앞에서 말을 하려고만 하면, 심하게 긴장이 되어온 몸이 덜덜 떨리는 분들이 참 많습니다. 여러분도 혹시 그러신가요?

종종 이런 분들 중에 어떻게든 진정해보려고 중요한 자리에서 말을 하기 전에는 항상 청심환을 드시는 분들이 계세요. 물론 효과가 있을 수 있습니다. 그러나 이게 습관이 되면 참으로 골치 아파지거든요? 부작용으로 청심환 없이는 사람들 앞에 서지 못하는 몸이 되어버리고 마는 겁니다. 여러분은 그렇게 되지 않으셨으면 좋겠어요. 여러분은 청심환과 같은 약에 의지하지 않고도 긴장을 극복하는 방법을 여기에서 배우시고, 그것을 터득하여 습관으로 만들어버리시기를 바랍니다.

지금부터 제가 소개해드릴 방법을 따라해 보시고. 도움을 얻으셨으면 좋겠습니다. 사실 긴장감을 푸는 가장 원론적인 방법입니다. 하지만 이보다 더 효과가 좋은 것이 없습니다.

1단계 - 숨을 크고 깊게 마신 후 길게 내쉰다

긴장이 고조되어 있을 때, 대부분의 사람들은 감정적인 상태에 빠지게 됩니다. 이때 사람은 괜히 분주해지고, 정신이 없어지고, 부정적인 생각들("내가 실수하면 어떻게 하지? 사람들이 나를 이상하게 보면 어떡하지? 이게 흑역사가 되면 어떡하지?"와 같은 생각들)에 사로잡히게 됩니다. 이때 우리는 최대한 빨리 이 상태를 벗어나서 평상시처럼 이성적인 생각을 할 수 있도록 '몸의 상태'를 전환시켜주어야 합니다. 그 방법이 무엇이냐? 크고 깊게 그리고 천천히 하는 복식호흡입니다. 이것보다 효과가 좋은 것이 없습니다.

복식호흡이 효과적인 이유는 긴장한 상태일 때 사람의 호흡이 가슴 위쪽으로 떠있게 되기 때문입니다. 이러면 깊은 호흡이 불가능해지고, 호흡이 불규칙해지면서 자꾸만 감정적인 상태에 빠져들게 되는 겁니다. 스피치에 독이 되는 상태인 것이죠. 이때 떠있는 호흡을 아래로 내려주기 위해서 복식호흡을 하는 것이고, 이것이야말로 긴장을 가장 확실하게 완화시켜주는 최고의 방법이라는 겁니다. 방법은 다음과 같습니다.

(1) 숨을 더 이상 마실 수 없을 만큼 크고 깊게 마신다.
　이때 숨을 배꼽 아래까지 가득 채운다는 느낌을 갖는다.
(2) 그 상태로 5초간 숨을 참는다.
(3) 최대한 천천히 그리고 길게 숨을 내쉰다.
(4) 호흡이 가라앉을 때까지 천천히 여러 차례 반복한다.

이러한 방법을 통해 불규칙했던 호흡이 안정화되기 시작하면 호흡이 가라앉고, 감성적인 상태에서 벗어나 다시 이성적인 생각을 할 수 있게 됩니다. 그러면 다음 단계로 넘어가시면 됩니다.

2단계 - 입을 열어 나 자신과 대화하라
이성적인 상태로 이제 여러분은 자기 자신과 대화를 해야 합니다. 제가 추천 드리는 방법은 속으로 생각하며 자신과 대화를 하는 것이 아니라, 입을 열고 실제로 자기 자신과 대화를 하는 것입니다. 자신과 이런 식의 대화를 해보세요.

나1   준비 많이 했지?

나2   그럼. 준비 많이 했지.

나1   그런데 왜 긴장해? 준비한 것만 해.

나2   그래. 너무 잘하려고 하지 말고 준비한 것만 하자.

나1   좋은 생각이야.
       네가 준비한 게 1이면 1만 하고 내려오면 돼.

나2   맞아. 내가 준비한 걸로 사람들에게 도움을 주고 오자.
       그러려고 여기에 왔잖아.

나1   그래. 사람들은 네 도움이 필요해.

이처럼 나 자신과 이성적인 대화를 하면, 신기할 만큼 긴장이 완화되는 것을 경험하실 수 있습니다. 그리고 직접 말을 하다 보니, 목도 가다듬어집니다. 그런데 한 가지 명심해야 할 것이 있습니다. 이 대화에는 주의사항이 있다는 겁니다.

첫째, 절대로 부정적인 대화는 하면 안 된다는 겁니다. 부정적인 대화가 시작되면 다시 호흡이 뜨기 시작하고, 긴장감이 몰려올 겁니다. 절대 하면 안 됩니다.

둘째, 내 이야기를 듣게 될 청중들을 무시하는 방식의 대화는 절대로 해서는 안 된다는 겁니다. "내가 저 사람들보다 훨씬 더 많이 아는데 뭘 긴장해." "어쩌다가 운이 좋아서 저 위치까지 오른 사람들 앞에서 내가 긴장 따위를 할 필요는 없지." 이런 방식의 접근은 매우 옳지 않습니다. 여러분의 이야기를 듣게 될 청중을 향한 올바른 애정을 가지고 있지 않다면, 그들을 향한 사랑의 마음을 가지고 있지 않다면, 그들을 돕고자 하는 진실한 마음이 없다면 여러분의 말은 절대로 그들의 마음을 움직일 수 없을 겁니다. 다시 한 번 기억해주세요. 훌륭한 스피치를 결정하는 것은 훌륭한 인품이라는 것을요.

정리하자면 긴장감으로 인해 몸이 덜덜 떨릴 때 (1) 복식호흡으로 호흡을 가라앉히고 감정적인 상태를 벗어나 이성적인 상태로 돌아오고, (2) 입을 열어 자기 자신과 올바른 대화를 나누시면 되겠습니다. 청중을 향한 올바른 애정을 전제로 하는 대화를 말이죠.

한 가지 흥미로운 이야기를 들려드리고 이 부분을 마치려 합니다. 참고로 저는 제 인생의 절반보다도 더 되는 기간 동안, 사람들 앞에 서서 스피치를 해야 하는 직업을 가지고 살아왔습니다. 요즘도 마찬가지로 강연과 강의 등의 일정으로 삶이 빠듯합니다.

그런데 궁금하시지 않나요? 이쯤 되었으니 저는 사람들 앞에 서서 스피치를 할 때, 안 떨릴까요? 긴장이 안 될까요? 정답은 저 역시도 여전히 떨릴 때가 있고, 긴장될 때가 있다는 겁니다. 오랜만에 정말 큰 무대에 서거나 하면 괜히 떨립니다. 하지만 저는 앞에서 소개해드린 방법이 몸에 배어있기 때문에 긴장감을 떨치는데 1~2분이면 충분합니다. 그런데 이 부분에 대해서 제가 스스로 웃긴 사실 하나를 발견하게 되었어요. 종종 호흡도 전혀 떠있지 않고, 감정적인 상태에 사로잡혀 있지도 않고, 매우 이성적인 상태로 긴장감을 전혀 느끼고 있지 않고 있는데도 불구하고 제 다리가 떨리고 있을 때가 있더라고요. 이러면 머리와 몸이 따로 노는 느낌이 들어요.

여기서 질문해보겠습니다. 이런 경우에는 제가 사람들 앞에 서서 준비한 스피치를 무사히 잘하고 내려올 수 있을까요? 네 그렇습니다. 아무 문제도 없이 잘할 수 있어요.

제가 이것을 통해 말씀드리고 싶은 것은, 여러분이 사람들 앞에 서야 할 때, 몸이 좀 떨리고 다리가 좀 떨리더라도 그게 큰 문제를 일으키지는 않는다는 겁니다. 무슨 말이냐면 여러분의 몸이 긴장감을 완전히 떨쳐내지 못해서 조금 떨리고 있더라도 호흡이 안정화되어 있고, 이성적으로 차분한 상태에 있고, 청중을 향한 애정을 가지고 있기만 하다면 얼마든지 잘해내실 수 있을 거라고 말씀드리는 거예요. 머리가 긴장을 안 하는 게 가장 중요한 겁니다. 제가 앞서 소개드린 방법은 여러분의 머리가 긴장을 안 하도록 많아 도와줄 겁니다. 그러므로 열심히 활용해보시기를 바랍니다.

16

심상화의 비밀

여러분은 스피치에 대해 진지하게 고민하고 신경 쓰며 살아온 지 얼마나 되셨습니까? 저는 어느덧 18년차가 되었습니다.

혹시 이런 생각을 해보셨나요?

"나는 도대체 몇 년 정도를 해야 스피치를 잘하는 사람이 될 수 있는 걸까?" 흔히 스피치는 경험이 많을수록 잘할 수밖에 없다고 이야기를 합니다. 사실 너무 당연한 말입니다. 사람들 앞에 서서 말을 한 번 해본 사람보다는 100번 해본 사람이 당연히 더 잘하지 않겠습니까? 저는 무대 스피치와 강연, 강의 경험들을 적게 계산해도 1,000회가 훌쩍 넘습니다. 이런 이야기를 들으면 막막하시지 않나요? 하루아침에 경험을 많이 쌓을 수 있는 방법은 없으니까요.

이런 생각을 가진 여러분이 스피치 경험이 많은 사람들과의 갭 혹은 스피치 전문가들과의 갭을 최대한 빨리 줄이실 수 있도록 도와주는 놀라운 도구 하나를 제가 가져왔습니다. 여러분이 이 도구를 적극적으로 활용하시기만 한다면, 정말 단기간 내에도 경험이 많은 스피치 전문가들과 견줄 수 있을 정도로 엄청나게 실력이 향상되리라 확신합니다. 그 도구는 바로 심상화(visualization)입니다.

심상화로 유명한 인물이 있습니다. 바로 수영 역사상 최다 메달을 획득한 아테네 올림픽 6관왕, 베이징 올림픽 8관왕의 주인공 Michael Phelps입니다.

Phelps는 항상 '원하는 경기 시나리오'와 '원치 않는 경기 시나리오', '최고의 경기 시나리오'를 생각했다고 합니다. 그리고 Phelps는 모든 시나리오에서 발생할 수 있는 각종 문제들을 맞이할 준비를 미리 다 했다고 해요. 그래서 실제로 경기 중 어떤 문제가 생겨도 전혀 걱정하지 않았다고 합니다. 어차피 어떤 상황이 찾아와도 예상한 시나리오 안에서 모두 자신이 생각한대로 완벽하게 흘러갈 테니까요. 우리에게 필요한 트레이닝이 바로 이겁니다. 이게 심상화예요.

Phelps는 이러한 심상화 작업을 13, 14살부터 쭉 해왔다고 합니다. 여러분은 지금부터 하시면 됩니다.

구체적으로 어떻게 하면 되는지 알려드리겠습니다. 여러분이 스피치를 준비하실 때, 사람들의 앞에 서서 스피치 하는 여러분의 모습을 상상해보는 겁니다. 그리고 상상 속에서 준비한 스피치를 해보세요. 그리고 한 번 더 하는데, 이번에는 여러분이 직접 관객이 되어주시면 됩니다. 즉 3자의 입장이 되어서 스피치를 하고 있는 여러분의 모습을 바라보는 겁니다. 왜냐? 한 발 물러서서 나를 바라볼 때, 기존에 보지 못했던 것을 볼 수 있게 되기 때문입니다.

그리고 여러분은 이 모든 과정에서 어떤 변수들이 생길 수 있는지, 어떤 문제가 발생할 수 있는지, 어떤 질문들이 나올 수 있는지 하나씩 다 생각해보고, 그것을 어떻게 대처하면 좋을지에 대해 전부 다 생각해보는 겁니다. 다 생각하셨으면 이제는 다시 1인칭 시점으로 돌아가서 생각한 것을 실제로 또 해보시면 됩니다. 상상 속에서 말이죠.

이런 심상화 작업을 할 때, 여러분이 가장 중요하게 생각해야 할 것은 두 가지 입니다.

(1) 최대한 생생하게 상상할 것
(2) 수없이 반복하여 상상할 것

그런데 질문이 생기지 않습니까? 이런 작업이 실제로 도움이 될까요? 그렇습니다. 정말 크게 도움이 됩니다.

사람의 뇌는 참 신기합니다. 우리의 뇌는 '현실'과 '생생한 상상'을 구분하지 못합니다. 이게 무슨 말일까요? 여러분이 사람들 앞에 서서 스피치를 하는 장면을 생생하게 100번 상상하면, 여러분의 뇌는 여러분이 실제로 100번이나 사람들 앞에서 스피치를 한 것처럼 받아들인다는 겁니다. 실제 경험으로 느끼는 거예요. 그래서 여러분이 생생하게 심상화 작업을 하는 것보다 빠른 시간 내에 더 많은 경험을 쌓을 수 있는 방법이 없는 겁니다. 심상화는 정말 최고의 방법이에요.

많은 경험을 통해 빠르게 성장하고 싶은 여러분, 이보다 더 빠르게 스피치 전문가가 될 수 있는 방법이 있을까요? 저는 없다고 확신합니다. 그러므로 당장 심상화 작업을 시작하세요. 최대한 구체적으로, 최대한 생생하게, 최대한 여러 차례 상상하는 것이 핵심입니다. 그리고 이건 일상적인 대화, 면접 스피치, 프레젠테이션, 무대 스피치 등 모두 동일하게 적용할 수 있는 부분이니까 절대로 지체하지 마시고 심상화 작업을 시작해주시기 바랍니다.

17

실수와 관련된 진실

결론부터 말씀드리자면, 여러분은 실수를 두려워하지 않으셔도 됩니다. 실수를 두려워하지 않아도 되는 이유는 몇 가지가 있습니다.

첫째, 사람들은 당신의 사소한 실수를 기억도 못한다

많은 사람들이 자신이 저지른 사소한 실수에 대해 집착을 합니다. 그런데 다른 사람들은 거의 여러분의 그 사소한 실수를 기억조차도 하지 못합니다. 사람이라는 존재는 다른 사람에게 그렇게까지 관심이 많지 않기 때문이에요. 여러분은 오늘 당장 여러분의 눈앞에 놓인 문제들이 중요하게 다가오지 않습니까? 다른 사람도 다 똑같습니다. 다른 사람의 사소한 실수까지 신경 쓸 만큼 사람들의 마음은 여유롭지 않습니다. 사람들 앞에서 스피치를 하다가 사소한 실수를 저지르셨다면, 정말 쿨하게 생각하셔도 괜찮습니다. 거의 모르거든요.

둘째, 사소한 실수가 아닌 큰 실수인 경우 그것을 발판삼아 성장하면 된다

제가 스피치를 가르칠 때, 늘 가슴에 새기기를 당부하는 문장이 있습니다. "오히려 좋아!" 저는 이 문장이 사람들의 성장을 돕는 가장 위대한 문장이라고 생각합니다. 여러분이 크게 실수를 했을 경우, 이것을 통해 배우시면 됩니다. 이렇게 속으로 생각하세요. '아, 이렇게 하면 안 되는 구나. 하나 배웠네. 오히려 좋아!' 그리고 다음부터 그 실수를 반복하지 않으면 되는 거죠. 얼마나 좋습니까? 여러분은 실수를 통해 누구보다 값진 경험을 한 거예요. 그러므로 어떤 실수를 했더라도 절대 위축되지 마세요. 오히려 어떻게든 실수하지 않으려고 발버둥치는 사람들이 성장을 못합니다. 그러므로 실수를 두려워하지 마세요. 실패에도 당당할 수 있어야 빨리 성장합니다.

결론적으로 이것이 실수와 관련된 진실의 전부입니다.
"실수를 두려워하지 않아도 된다는 것."

18
급성장을 경험하는 방법

스피치 능력을 급성장시키는 방법은 몇 가지가 있습니다. 이미 앞부분에서 다른 내용들 중에도 빠르게 성장할 수 있는 방법과 관련된 내용들이 있었습니다.

이곳에서 다루고자 하는 급성장의 초점은 '디테일'에 있습니다. 스피치 능력이 어느 정도 수준에 도달하면, 그때부터는 디테일의 싸움이 시작되기 때문에, 이 책의 마지막 부분에서는 이 부분을 꼭 다루고 싶었습니다.

지금부터 다루게 될 방법을 활용하시면, 여러분은 스피치의 디테일한 부분들이 성장하게 되는 것을 몸소 체험하시게 될 겁니다. 하지만 대부분의 경우 이 엄청난 기회를 강력히 피하고자 하는데요. 여러분만큼은 피하지 마시고, 적극적으로 이 기회를 활용하고 누리셨으면 좋겠습니다.

스피치에 있어서 디테일한 부분의 급성장은 '객관적으로 자신의 스피치를 관찰하고 분석하고 체크해볼 때' 일어납니다. 이것을 위해 우리는 최대한 적나라하게 여러분의 상태를 두 눈으로 똑똑히 보아야 합니다.

가장 확실하게 자신의 상태를 체크해볼 수 있는 방법은 '모니터링'입니다. 간단하죠? 모니터링은 영상을 통해서도 이루어질 수 있고, 녹음본을 통해서도 이루어질 수 있습니다. 그런데 대부분의 사람들이 모니터링을 하지 않는 것이 현실인데요. 왜 그럴까요? 일단 괴로움을 감수해야 하기 때문입니다. 저처럼 오랜 시간 스피치와 관련된 일을 한 분들이 아닌 이상, 녹음된 자신의 목소리를 듣는 것 자체를 엄청 괴로워합니다. 내가 생각한 내 목소리와 실제 내 목소리 사이의 간격을 받아들이는 것이 괴로운 겁니다. 그리고 민망해합니다. 내가 실수했던 부분들을 다시 들춰내는 것만큼 민망한 게 없기 때문이죠. 하지만 이런 괴로움과 민망함을 이겨내는 사람만이 빠르게 성장하고, 디테일한 성장을 이루어낼 수 있다는 것을 기억하셨으면 좋겠습니다. 명심하시기 바랍니다. 모니터링만 피하지 않아도 엄청나게 스피치 능력이 향상됩니다.

그런데 문제가 있습니다. 여러분이 큰마음을 먹고 모니터링을 해보기로 결심했다고 칩시다. 그런데 여러분이 스피치를 할 때마다 누군가가 영상을 찍어주는 게 아니지 않습니까? 대부분의 경우 영상이 안 남습니다.

팬데믹 이후로는 비교적으로 영상이 남는 경우가 이전보다는 많아졌지만, 여전히 그렇게 많은 건 아닙니다. 회사에서 프레젠테이션을 하거나, 학교에서 발표를 한다고 영상을 다 찍어주지는 않으니까요. 이것을 해결할 수 있는 방법을 알려드리겠습니다. 꼭 실천하셨으면 좋겠습니다.

제가 추천 드리는 방법은 스마트폰 녹음 어플리케이션을 적극적으로 활용하는 겁니다. 저는 강연이나 강의 등 다양한 스피치를 할 때, 그 곳이 영상을 남겨주지 않는 곳이라면 최소한 스마트폰으로 녹음이라도 해서 돌아옵니다.

뿐만 아니라 혼자서 연습할 때도 최소한으로 녹음은 꼭 합니다. 가능하면 스마트폰을 거치해놓고 영상으로 촬영하고요. 제가 지금도 이런 방법을 사용하는 이유는 간단합니다. 저는 이미 제 목소리와 친숙하지만, 안 좋은 습관이라는 것은 언제든 또 생겨날 수 있고, 다양한 형태로 나타날 수 있기 때문에 그것을 놓치지 않고 체크하기 위해 하는 겁니다. 그러므로 여러분도 최소한 녹음이라도 꼭 하시기를 바랍니다.

그런데 객관화를 위해서는 여러분이 녹음(혹은 촬영)한 것을 한 번만 들어보고 끝내서는 안 됩니다. 최소 3일 후에 다시 한 번 들어보셔야 해요. 왜 다시 들어보는 걸까요? 일정 시간이 지나면, 이전보다 냉정하게 감정을 배제하고 스피치의 내용, 자신의 목소리, 습관 등을 객관적으로 관찰할 수 있게 되기 때문입니다. 결론적으로 녹음한 당일에 한 번, 최소 3일 후에 또 한 번, 이렇게 두 번 이상은 꼭 들어보셔야 합니다.

그리고 한 가지 더 정보를 드리고 마치도록 하겠습니다. 녹음 파일을 제대로 활용할 수 있는 방법, 극한까지 활용할 수 있는 방법입니다. 네이버에서 제공하는 서비스 중에 클로바노트[13]라는 것이 있습니다. 네이버 아이디만 있으면 무료로 사용할 수 있는 서비스에요. 여러분이 녹음 파일을 가지고 계시면 클로바노트 홈페이지에 들어가서 [새 노트 만들기]를 누르시고, 그 파일을 첨부해보세요. 그러면 여러분의 음성을 텍스트로 바꿔줍니다. 그리고 그것을 다운로드 받아서 읽어보시길 바랍니다. 그러면 적나라함의 끝을 보실 수 있을 겁니다.

이렇게 텍스트로 변환해서 보면 어떤 발음이 뭉개지는지,

---

13) 클로바노트 http://clovanote.naver.com

어떤 부분에서 말을 더듬는지, 어떤 습관이 있는지, 어떤 부분에서 내용을 정확히 전달하지 못했는지 등 다 확인하실 수 있습니다. 그러면 무엇을 어떻게 고쳐야 할지 스스로도 느낄 수밖에 없으실 겁니다.

방금 말씀드린 이 방법은 사실 정말로 괴로운 작업입니다. 하지만 여러분이 정말 큰 성장을 경험하고 싶으시다면, 이 괴로운 작업을 즐기며 도전해보시길 바랍니다. 여러분의 도전은 여러분을 절대 배신하지 않을 테니까요. 여러분을 끝까지 응원하겠습니다!